D0542647

poesia

Dello stesso autore in edizione Garzanti:
Miele e no
Il movimento dell'adagio
Pare che il Paradiso

Tiziano Rossi

Gente di corsa

Garzanti

Prima edizione: gennaio 2000

ISBN 88-11-63691-4

«Abbiamo osservato le stagioni prodigarsi e svanire,
e ci siam chiesti, Perché mai un uomo o una donna non
potrebbero, al pari delle stagioni, prodigarsi così?».

Walt Whitman

I

(*bambino G.*)
Ha solamente voce di pappa
il non bastevole a sé,
ma un po' pasticciandosi dice
le cose che nessuno...

(*bambina P.*)
Spalanca gli occhi, aspetta così zitta
le cose venienti la prima volta
su dal grandissimo lago di latte,
e i nomi come gocce, in pioggia fitta.

(*bambino M.N.*)
Dove il vitello sbavava sprovveduto
lui, sopra il letame di stalla fervendo
al corpo tiepido del tutto, non sapeva
la guerra e il suo dirigersi tremendo.

(*bambina I.A.*)
Dai quattro venti cardinali qui deposta
la nipotina in balbettìo ormai chiama
qualche parente da diverse case: intorno
a sé il presepio provvisorio che la ama.

10

(*bambino R.R.*)
Col cane arruffato in combutta, che
a lui si confonde in quell'uno felice:
cosmo incantato e straniero
da non capirsi più chi è condottiero.

(*bambino F.*)
Che sfera dolce la festa di Natale
con dentro i suoi regali e un mappamondo!
Storia che ritorna e che non salva, ma
tutto sta insieme più lucente e tondo.

(*bambino I.N.*)
Giù nel giardino macerato tripudiando
di terra s'impregna il piccolo, o d'erba:
flora alla flora, e tuttavia
cosa conta il contorno, se si lèvita.

(*bambino G.O.*)
Come Toro Seduto, sbaraglia uno squadrone
vestito di blu, ma là scantona un gatto:
mica si ferma la vicenda, e allora
cambierà il prefissato copione?

(*bambino N.Q.*)
Tra le figure del bieco colluttare
sta in minoranza, per piccolezza,
e al di sopra di lui periclitante
sorge chi lo squadra, comandante.

(*bambino L.L.*)
Da più cresimazioni ed alte offese
ora si svincola via, se non sarà
– soldatino di cenere –
prima finito per superiori esigenze.

(*bambina Q.*)
Con la matita trabìccola traccia
sul foglio una linea, la strada,
poi la prolunga, ancora e ancora,
ancora più lunga: chiede dove vada.

(*bambino B.*)
Rincorre il pallone, l'intero creato,
impara come dirigere il piede,
quello strapotere delle inerzie,
i rimbalzi di un mondo che succede.

(*bambina U.F.*)
A testa bassa incontro al poi e l'avanti
va con gambette metropolitane
dove c'è il fumo del Duemila. E forse
solo ricorderà questa azzurrina bilia.

(*bambino O.B.*)
Rovista lo zainetto, interne masserizie,
detriti di tram, foglietti in sofferenza
ed un fiammifero: tesoro scarso
centrifugo come il suo cuore; e di già arso.

15

(*bambina L.I.*)
A mezzanotte, alla stellata ora,
ancora sveglia vuole arrivare:
ce la farà, sul guado del sonno,
lei nella sera come una bandiera?

(*bambina P.G.*)
Il loro gioco che si travàlica
e a nascondino le scene della caccia:
lei calcola insidie, scaltrita bestiola,
annusa ombre e afferrerà una gola.

(*bambina Z.U.*)
«Non io stata, non stata», si difende
e stende avanti le dieci dita:
stancante aurora, primi artifici
per dirottare i fratelli, un po' nemici.

(*bambino E.Z.*)
Da qui si visiona il suo lutto, cioè
la moscacieca, tremendo cercamento:
la benda – se consideri – è di tutti
ma lui, più perduto, domanda più aiuto.

(*bambino D.R.*)
Nell'adeguarsi ai più grandi – la matita
come sigaretta – legge un libro
ma lo tiene a rovescio: ha gracile inizio
la corsa al futuro e all'abito fittizio.

(*bambino U.B.*)
Ripete ostinato la stessa parola,
come è noioso! Però se ascolti bene
dentro l'immobile dire
fa lievi variazioni: una sua scuola.

(*bambino C.*)
Nei grandi misteri dello zoo contempla
– sommessa sacrità –
non l'elefante, enorme animale,
ma il piccione rovesciato sopra il viale.

(*bambino R.U.*)
Come palombaro di lurido giardino
con scricchiolamento se ne fluttua
lontano lontano, fagotto invulnerabile,
ma giocare è molto difficilissimo.

(*bambino X*)
In questa piazza è stato accantonato
da padre e madre, dentro in una garza:
rotolo sporco che poco strilla
forse è cattivo, ma tiene poca forza.

(*bambino A.*)
Sul dolore innocente non si interroga
da sempre abitatore di corsia,
e delle svolte di natura niente sa:
corpo deformato e sua solennità.

20

(*bambina E.*)
Riapre il diario, la penna tra le dita
ma il giorno è disceso in qualche fiala
e lei niente scrive, se non:
«Oggi dappertutta mi sono divertita».

(*bambina V.V.*)
«Agosto conta trentuno giorni.
Domani è bello, si va a Bellaria
dove giocheremo con la sabbia
e dove c'è proprio una bella aria».

II

(*Elvira E.*)
Bambina che graffiava, poi le stizze
(niente si crea né va perduto
ma solamente si intruglia)
per sottosuoli sbucate a carezze.

(*Maura N.*)
Lei nei sentimenti eccetera tradita:
l'iniziarsi alla vita? No, daccapo
come sempiterno apprendistato
sta a sé ogni pianto in povero costato.

(*Sofia V.*)
Tutta nel domani lei si ciòndola:
se infine da involucro riuscisse
farfalla vulnerata a disbrogliarsi
dalla famiglia e le sue turpi risse!

(*Amos C.*)
«Mio padre in sogno la mano mi mordeva
ma con deboli denti, bocca inetta
a troppo grave fatica,
e allora nel fallire un po' piangeva».

(*Christian G.*)
Lo zaino in spalla, andare e mai restare,
Oslo, Calcutta, Micene, Firenze
e paesi in afflitta ritirata:
poco ricorda, ma impara differenze.

(*Giada D.*)
Nella lettura adesso si include
quasi in cassetto od oceano di sé:
per questa sera prevalga il non c'è,
ignoti siti, tasselli di oltre.

(*Mara L.*)
Se ponderi da fuori i suoi innamoramenti
nell'età che ciascun corpo esaspera,
già il sesso invincibile le detta
regole sotterranee, ombre del riprodursi.

(*Ottavio V.*)
Quando con il corpo ha da brigare per
l'impetuosità del procreare, animalando
(come il calore prescrive) va
disperso un po' mesto il suo superfluo.

28

(*Vanessa O.*)
Gli abiti sotto la viaggiante luce
in bellezza e stranezza volteggiano, e lei
momentanea qualcosa prefigura
d'ogni stagione palpebra socchiusa.

(*Liana C.*)
In scena donerà faccende vere
attrice di domani al pubblico che aspetta;
e per guarire il loro stare male
sarà ammazzata come vittima capretta.

(*Gemma P.*)
Si cala nel giornale, le orme di un lavoro,
e tutte le offerte si drizzano in turba
sbattendo alla brezza: lei s'è cinta
di carta e resta, smanioso castoro.

(*Benvenuto A.*)
In servizio civile recluta di pietà
dove gorgogliano nuovi inondamenti:
alla melma che vince – originario stato –
un poco obbedirà, coscritto affondato.

(*Viola T.*)
Va per incerte righe il difettato
suo computer strabiliando, e lei
– come l'altissimo caso prevede –
ecco che ammara su emblema mai stato.

(*Saverio L.*)
Naviga e clicca in mondiale ottovolante
quella sua mente che infinisce
con le emozioni in sottile polverìo:
che cosa bella smetterla con l'io.

(*Marzio P.*)
Sternutendo il nuovo secolo galoppa:
ancora insegne, stemmi in sfolgorìo
per qualche destino venerabile,
e lui che accelera, su ignota groppa.

(*Leone Z.*)
Con i gonfaloni in temeraria prominenza
dove si sgómita per un impero
anche ci sarà il suo dominare: dentro e sopra
la bolgia che tambura, stadio nero.

(*Guglielmina O.*)
Dalle parole come nube è sollevata
sul febbricitare di un amore:
o alto cinguettìo, sua salvazione!
E quella storia che è stata è stata!

(*Katia F.*)
Quel rodimento suo, tutto celato,
metterà capo, metterà capo.
Le è finito l'amore e più non vale:
lacrima ferma come minerale.

(*Gisella C.*)
Scuote i capelli di qua e di là
per noi peccatori adesso e nell'ora:
lei, puledrina, che dice «caro!»
ma mai in nessuno riposerà.

(*Rocco U.*)
Il braccio ritorcendo retroflette
e il collo più docile avvita,
nell'aria distanziata il proprio
corpo a sé recuperando: alé.

(*Samantha A.*)
Lontano da cemento e granoturco
la discoteca mulina potente.
E ad alto ritmo, bevendo luci,
col corpo guizza su dall'epoca carente.

(*Anselmo P.*)
«Va la sgommata musicale, okkio!
Il suono brucia, si fa più duro,
altro che lustrini di canzone:
qui già si morde il tempo venturo!»

(*Bernardo E.*)
Di quelle età – antichissima operetta
di burattini bisnonni –
poco si capisce e rotto è il filo.
Stranito studente ascolta e aspetta.

(*Ciro A.*)
Ha così scarse parole nella mente,
male incasella il diverso accadere:
discendenza retrògrada o
lì si rinvergina l'uomo sapiente?

(*Adelaide T.*)
Nella signora famiglia ciondolando
strabicamente guarda la propria giovinezza,
gli irresolubili pro e contro,
questa valigia e il consegnarsi al largo.

(*Rosa I.*)
Non rimarrà – rispetto ai tempi – indietro
e se venisse un fumigare di martìri
lei saprà sperperarsi in opere gloriose
o disincantarsi, oppure forse anche...

(*Alessia M.*)
Nell'uovo del millennio troverà
lavoro tuorlino, stipendio modesto,
e dimensionando la statura
in qualche truppa camminerà.

(*Zeno S.*)
Musocco, Maciachini, la Stazione,
pony trapela nel buio di Milano,
il suo monòpoli perduto: dove
comincia il viale Liberazione?

(*Tullio Q.*)
«Annusa intorno! tutto è dolciastro:
bisogna azzardare, ferire, ferirsi
in qualche eccelso inarcamento,
e non ci curi nessun empiastro».

(*Claudio P.*)
Duole l'adolescenza. E lui farebbe
quelle cose che vanno al sovrumano
– a una terra magari immacolata –
e dunque motoretta contromano.

(*Gloria O.*)
Cara accozzaglia di vacanza, notte
in un giorno mutata o non si sa;
e sagoma imprecisa del millennio
lei ruota per un'altra libertà.

(*Lucrezia G.*)
All'unisono il raggiante ondeggiamento
di lei e di loro, nel fiato generale.
Resta insieme ai magnifici tremila
in cadenza disposti: liturgìa.

(*Susanna I.*)
Né domani né ieri, ma soltanto
il lei di adesso come una girandola
lì sulla musica fortissima, in discrimine,
dove è il vero suo esistere e cos'altro.

(*Corinna R.*)
Intatte stanno le eventualità,
la vita astrusa è appena fuori l'uscio;
ma la sua gonna di già svolazza,
ancora un passo e lei s'intricherà.

41

(*Lodovico E.*)
S'incaponisce irritato ma ad un tratto
– nella fosca anticamera di casa –
come cometa discreta risplende
una lontana domanda, e ancora pende!

(*Taddeo A.*)
Insieme alla sua noia (o così dicono)
dentro il crepuscolo si protenderà
fra smorti casamenti, prima che lo abbattano:
in quale scena la sua scena finirà?

(*Fulvia A.*)
Così indesiderata, diminuirsi,
al mondo defalcando un po' di anima;
e forse allora – remunerazione –
minuscolina sarà voluta bene.

(*Ivana V.*)
Il suo sottrarsi in maniera leggera
ai sette dolori e di più,
aleggiando come santa immagine:
potevano agguantarla là sulla voragine?

(*Eusebio Z.*)
Graffìta un muro: le bolle di tribù
a tumulto cresciute
che lì s'accavallano, le tracce
dell'intrattabile sogno, gioventù.

(*Giordano L.*)
Su granito inviolato i suoi propositi
– non di buona educazione o roba affine –
scrive in caotica lingua veritiera.
E, non sapendo colpa, ecco dimentica.

(*Costantina G.*)
Piange a quel film, fatto a strappacuore,
dove tradita è l'estetica, assente la misura
e malriposta perciò la commozione.
Ma è la sua storia, la sua storpia direzione.

(*Giusto A.*)
Benigne larve e no che in sogno esigono:
suo padre coi baffi, il malfermo lavoro,
la mente dell'amica poco amante.
Ma nell'insieme è il suo stato interessante.

(*Sibilla A.*)
E dàgli e dàgli, ventenne pendolare
in fulminante videoclip s'inventa:
il suo pullman che rema tra le nubi
e plana su Milano, ferree fondamenta.

(*Walter D.*)
«Ma cosa cazzo da me sperate
in questa merda di vostra città.
Non me ne frega niente, ripetete
solamente fottute puttanate».

(*Leandro M.*)
Defilato pellegrino: il suo partire
per più singolari purgatori, poi
all'io tornare e ripartire in cerchi
brevi, più brevi, di droga sparire.

(*Erica T.*)
Sopra il divano nuvolando, è triste.
Però qualcuno infine il proprio cuore
– in prodigioso contraccambio –
a lei donasse, la fiaba che persiste.

III

(*Signora Carbaro*)
Fin dove arriva la documentazione
su lei che stende tovaglia e tre barattoli
come virgola buffa? Sarà sereno l'anno,
più delicato il suo reticolato?

(*Signor Tessarini*)
Seminascosto contadino, alla muraglia
dei pomodori brancolando, ancora
per fini cure preistorico si china:
perché il tempo più tempi in sé combina.

51

(*Signor Talli*)
«Pare che sì, però non mi sembra,
può darsi – dico – ma comunque sia
se mai davvero un poco si potesse...
poi viene il séguito, che tutto smembra».

(*Signor Cesi*)
Plasma solamente eccentrici pensieri
e fabbrica arnesi disadatti, come
elusiva quisquilia del presente secolo.
Ma questo tutto ingloba, il dritto e il verso.

(*Dott. Calustri*)
Da quell'ufficio, sua torre mirabile,
lui cala il bene o tutto l'incontrario,
così che s'attui lo spegnere o il fondare:
rotolano anime, altre si drizzano.

(*Signor Badini*)
Da mutui e prestiti e cambiali vorticato
con mille carte fronteggia i tempi,
evolve tra invisibili interessi,
va su commercio funambolico. È cascato.

(*Signora Campeni*)
Crede agli influssi, negli zodìaci,
per universe strategie si sforza
di rintuzzare gli abomini:
paladina coi suoi pàlpiti cardìaci.

(*Signora Ronchi*)
Bada al giardino, raddrizza un fiore,
che virtualità così si compia.
E col suolo combacia, giù nel flusso
dei tempi vegetali, lento amore.

(*Signor Vanzi*)
Le conoscenze incrementa e come cuoco
sagge misture combina di gente
dosando i cuori, gli umori diversi:
di lì riaffiora un suo infantile gioco.

(*Signor Midalli*)
«Ma cosa sanno del mio temperamento?
Io so nuotare in qualunque fato,
tutto si muta, ma posso farmi polvere,
o fuoco, o tromba d'un cominciamento».

(*Dott. Lomeri*)
I documenti implacati in slittamento
convergono verso fascicolame,
chiedono e rigurgitano secondo – sempre –
una fisica propria; e neanche lui potrà.

(*Signora Ricciotti*)
Nelle incombenze severe del pulire
lei casalinga s'erge ardimentosa:
contro il luridume e sue imboscate
svenante zuffa, senza un finire.

(*Carlo U.*)
Su smilza bici folletto vero,
le sue folate sotto mitragliamento:
come appartenente a qualche vento
uova portava, borsaro nero.

(*Dott. Ambrogi*)
Alle troppe scarsezze, ai velamenti,
alle giravolte d'altre teste
da sé scompagnate e dirottanti
domanda scusa: da povero aiutante.

(*Signora Velotari*)
Quale medicamento al suo inerme lamento?
Altre, altre persone digradano ai deliri,
s'appuntano più avanti le attenzioni
e non c'è pena che per sempre attiri.

(*Signora Mottesi*)
Frequenta la propria apprensione e i fantasmi
che chiedono udienza ed altra saliva:
trepida dunque vorrebbe – una volta –
pulsare insieme a più spessa comitiva.

(*Egidio D.*)
Rimuove i rifiuti, pratica la notte,
periferie, gli strapazzi del mondo:
uomo nascosto, ricuperante,
il suo lavoro dov'è lo sprofondo.

(*Dott. Bianchi*)
Per terre inenarrabili partito,
verso le guerre fatte di ossami,
medico ingobbito, dottore che
di tutti ha cura e tralascia onore.

(*Signora Zollati*)
La sua maternità per altre strade:
deserta donna spendendosi adotta
quei respinti, corporali infermità,
e soltanto nel bene s'è corrotta.

(*Signor Lantocchi*)
Dell'acquisire tanti volti: ora ci porge
la nobile mestizia, come persona
che tutto ha vissuto, quasi generale
valoroso e disfatto, aria teatrale.

(*Tarcisio D.*)
Beh, lavora là per l'altoforno,
alte temperature e ruolo sottoposto:
in antichissimi avvicendamenti
popolo dell'acciaio, un po' discosto.

(*Signor Diplossi*)
Il suo sciocchino teledire che si ficca
nelle nicchie del tempo declamando
la cartapesta, la caducità.
Ma gli uomini convoglia un po' più in là.

(*Signor Rafelli*)
Gomiti e mento in corretta posizione,
sa il meno e il più, di sé quasi architetto.
Lui filo a piombo sta fra il troppo e il poco,
sua geometria nel soppesare affetto.

(*Signor Barconcini*)
Crede a chiunque, si fa raggirare
fino alla rossa punta del naso,
e la sua voce rimasta fuori tono
pare di un mondo inesistente e buono.

(*Signora Lonari*)
Eccola miniata nel suo nuovo compleanno,
in punta di bellezza lei perseverante,
in cura del corpo, ancora in apparire:
la guardano ancora e la soppeseranno.

(*Giovanni L.*)
Da solo sottovoce scongiurando
trasporta in fretta, giù per il viale,
bianco di bucato il suo alone di celibato:
a chi, a che cosa riservato?

(*Prof. Cosso*)
Forse conforme al disagio civile,
la verità che fa più male e pena
a lui sembra più vera
della verità che rasserena.

(*Ettore Z.*)
S'intrude sempre per strade tòrte
del dover essere, a ricercare
– per una penitenza mai saputa –
qualche più cònsono suo dolore.

(*Pittore Bonfanti*)
Con mano di carne, lieve sul foglio
disegna le diafane faccende
di quella sua figlia perduta:
è un tratto camuffato, un suo cordoglio.

(*Signor Cesaretti*)
Esatto corniciaio col silenzio
in punta di piedi, monacale,
le righe dritte ed i legnetti: sì
a combaciate bene lì.

(*Signor U.M.*)
Con movimento austero, senza errore,
sistema questo foglio, quella biro
e in direzione d'una screpolatura
inesorabile esercita rigore.

(*Signor Similli*)
Lui capobranco che cementa, batte
le debolezze e le disobbedienze:
non nutre dubbi, manipola famiglia
ma non si sa se eviterà guerriglia.

(*Signor Mengellini*)
Quali tragitti fanno le sue ire!
Stralunato carnefice rivolge
– nel segno di altissima elezione –
contro sé, contro sé l'imbarbarire.

(*Signor Conti*)
Aveva malattia ma adesso è senza
e basta così poco, anche il levare:
come gli ride la schiuma da barba,
caro solletico di convalescenza!

(*Orlando F.*)
Cronista celere, guàrdalo sul posto
– nella sciagura spappolato un cuore
e i profani caduti sulla strada –
ma da tempo s'è ovattato il suo stupore.

(*Nicoletta P.*)
Al pronto soccorso, dove assillante
bussa più forte il re delle tenebre,
infermiera sapendolo si adopera.
E manca resoconto pertinente.

(*Vincenzo B.*)
Di violazione presunta:
racconta ridendo storie sporche,
muscoli in libertà, la polpa potenziale
che poco – in fondo – può fare male.

(*Signor Terrizzi*)
Scarto sottile dalla perfezione:
quasi in un eliso è pervenuto...
ma, per altro ascendere, lui misurerà
il mancamento, deluso itinerario.

(*Signor Gardessi*)
Con elettronici apparati interagendo
adempie evento, struttura, relazione,
complessità, processo, contingenza,
quasi corpo sociale in autoreferenza.

(*Prof. Sarmilli*)
Le biotecnologie, confini estremi
e lui che tasta altre natività:
tutto è nel cielo dell'eseguibile
e sempre al fare si adegua verità.

(*Bonifacio M.*)
Così diritto nel sì o nel no
pratica soltanto intero sentimento
come se fosse di legno e di cuoio,
della sostanza di un equipaggiamento.

(*Signor Bettone*)
Per suo mestiere conosce impalcature,
strati di materie e di fabbricamenti,
durevolezza di sabbie e di calcine,
precarietà di stabiliture.

(*Eleonora P.*)
La s'indovina di sbieco sulla destra
che mormora discosta da ogni vista:
facile al pianto, squisita persona,
sensibile troppo per essere buona.

(*Signora Cattini*)
Pronuncia la sua, ma già ne sorride:
signora indenne un passo più in là.
Sono le leggi del meno soffrire
e il suo fondamento nel buio sta.

(*Signor Damietti*)
Nel lavorèrio del restauro mobili
pance di cassettoni, le gambette di
sedie emaciate, feriti manufatti;
e lui li guida come mandria mite.

(*Signor Mellesi*)
Sale – antennista – e giù nel vuoto sputa,
in ressa di messaggi si equilibra
verso universo da noi diverso,
grida al collega, frase perduta.

(*Signor Dossani*)
È padrone della sua maledizione
ma in ogni caso con eleganza;
e su lama di poker le sue carte
corrono il rischio, come chi è precìpite.

(*Signora Latelli*)
Sempre desidera chi le si sottrae
oppure vibra la mano per colpirla:
mica rose o colombi, ma l'avverso
spossante, che di più le farà male.

(*Enrico E.*)
Meccanico d'auto, inaccessibile faccia,
accenna alla vettura e ci congeda:
ministro di specifici misteri,
che del suo lavoro lì si taccia.

(*Signor Degani*)
Era operaio calzaturiere
ed ha concluso sua servitù:
questo è il cucinino, quella la tivù,
c'è una bottiglia d'acqua col bicchiere.

(*Rosa R.*)
Ruotato un viso congruo, acconcia
subacquee parole o eteree, e frulla
tra la bella gente che più importa:
che il gruppo si rinsaldi e la sua scorta.

(*Signora Torri*)
Munisce la casa, sua ornata fortezza,
ma quelli accederanno con gli inganni
per interstizi e fenditure:
soffici piedi in forma di anni.

(*Signora Campana*)
Portiera in guardiola, scruta sotto lente
il casamento, quei cento inquilini:
il loro ritmato sostentarsi,
in fondo i suoi strani animalini.

(*Innocenzo R.*)
Da sagrestano, ricòlloca le sedie,
spolvera insegne bisognose
e sovrintende alle candele, grigio re:
suo perpetuo servizio a chi non c'è.

(*Signor Mavilli*)
L'àlito caldo della sua cartoleria
e lui in immane confusione voltolante
semisommerso tra rubrìche e buste
da quasi cuna sorride, come infante.

(*Dottoressa Pianali*)
La sua farmacia, gli astucci colorati,
toppe di qualche salvezza. E al banco
i vivi si fanno ansimando più appresso
da forze grandi travolti o sfiorati.

78

(*Signor Depoldi*)
Altre notizie èlicano, s'arroccano
come maniero o da pugili cozzano; ed allora
preso per il gorgozzùle si svelle o tenta,
ma infine ventrìloqua come telegiornale.

(*Signor Alfonsetti*)
Carattere inquadrato in istituzionale
sistema, di altro si fa catafratto:
trascende il suo debole contorno
e in quanto gruppo persiste, nonostante.

(*Signor Fillorini*)
Di mille minuzie s'è fatto mongolfiera
il suo parlare infaticabile, che monta;
e all'aria vera affidandosi veleggia
oltre la casa, e non sémina impronta.

(*Dott. Bustei*)
In trame s'inoltra a brigare
per alleanze, favori. E rispunta
– sua traguardante intelligenza –
di là dal gioco, fino ad infilzare.

(*Nader A.*)
Detto immigrato: sopra questo ovest
(strano catrame, bagnato impiantito)
fumando sigaretta guardingo si trapianta,
ignoto Enea, che mica lo si canta.

(*Carmela P.*)
Adesso che si muove forestiera
tasta certi muschi, le pietre rasenta
di quel paese che non è suo
ma potrebbe, potrebbe: altra placenta.

81

(*Signor Bomassi*)
Di acqua nutrito e di pezzi di pane
nella stanza diventata conventuale
ad alte cose pensava, incluso il nulla:
sua sprovveduta impresa razionale.

(*Signor Cazzaniga*)
Vispo roditore, impiega competenze:
la tana a puntino accomodare
e la lampada incrinata e il lavandino.
E circa l'essere non investigare.

(*Signor Tessaroni*)
Capitàno di edicola, aziona il proprio
armamentario delle mille verità
e di tutti i colori stracarica la nostra
stiva mentale: tracìma il bestiario.

(*Signora Ziccari*)
Nella sua boutique, la lattea via
delle eleganze, con caduche amiche
ancora un istante spumeggia
in transito sempre, e noi a più lento passo.

(*Signor Ghezzini*)
Molle padrone di casa, seduto
monarca che tutti ci manda,
in tono dolce come di panna
dice che il termine ormai è scaduto.

(*Signora Banchelli*)
Ospita amici, s'intravede un orto
dentro il molesto esalare:
Milano riposta, dove lei governa
un marginale, gentile porto.

(*Signor Baldari*)
In camera oscura le foto ingigantisce,
lui, titolare di qualche vita:
evidenzia le magagne di ogni volto.
O in una nebbia le annichilisce.

(*Attilio R.*)
Guida le ambulanze, quei lamenti,
i rantolanti congedi, però adesso
– verso mondana compensazione –
un neonato con i cinque sentimenti.

(*Edoardo A.*)
Ammira soprattutto da lontano:
i tratti più incerti e i primordi
delle persone, i possibili,
prima che sperpero metropolitano...

(*Signora Toberri*)
Tutto racconta e su di noi riversa
affetti discordanti, lei da principessa
di questo humus, smuovendo le nostre
immerse montagne o segregazioni.

IV

(*Signora Dapizzi*)
Adesso una questione di vestaglia
e la vita si è in un nòcciolo rappresa.
Sfarfalla la neve, che le ricorda...
e via dicendo e via pensando.

(*Signor Garosi*)
Sotto stella malinconica cresciuto
ora siede in sobborgo distrutto,
ma nella pipa ha brùscoli di secolo:
potrà mai ricongiungersi a quel tutto?

(*Signora Nerazzi*)
«L'ora serena, la languida stagione,
vedo un passeggio su amabile fondale,
tazzine di caffè, le tante care
persone chiacchierine... Adesso ho male».

(*Alma N.*)
I cento anni somigliano ai tre,
tutto un riperdere e un ritrovare;
e palpitante dunque s'ingorga
nei golfi di casa, come un mare.

(*Signor Gemmòli*)
Gli allegri volti e i mesti, convogliati
in una grandissima somma: solo questo
rimescolarsi ammira e, disseccato
nume, acconsente con debole gesto.

(*Signora Zacchini*)
Ma sentiranno di che grazia fu capace,
di quante relazioni prestigiose,
che squisitezza ammirevole e
quale calore sotto la sua brace.

(*Signora Valganelli*)
Così anziana, non si sa propagandare
ma per umano nostro rituale
lei – marionetta evocabile di nuovo –
sarà di scena in tante teste care.

(*Signor Bilacci*)
Detesta le nuove mondiali doglie
e solamente fissa il muro bianco:
lì presto o tardi dovranno trapelare
certe abrase amicizie, una sua moglie.

(*Signor Minari*)
Vecchio panciuto senza più incombenze
col cappuccino al sole venerando
lì se ne sta nel centro di Milano.
Ecco, l'Agosto lo va battezzando.

(*Signora Torrevisi*)
Coi polmoni residui, in intaso di voce,
tra sé mugugna le sue quattro colpe:
al buio vero s'è fatta più vicina,
ma sale l'alba e sublima la cucina.

(*Signor Carminati*)
Alle anticaglie discende, tra erose
fotografie, sbavate pagelle:
la storia che troppo è più forte,
tutti bocciati, ridicole fiammelle.

(*Signor Colli*)
Guarda e non guarda l'altissimo soffitto,
i quadri capovolti alla parete:
sopra il tappeto, in pantofole, riverso
gli manca il cielo, e lui è già perso.

(*Signor Manguni*)
Vecchio bidello, fermo in un paese
che non si vede, dentro la pianura:
brancicando il suo tavolo e la stanza,
scrive poesie, l'immobile avventura.

(*Signora Lobinati*)
In lei ridente la mente vaneggia
sopra vuote parole galleggiando,
ma nei ghirigori del riferire
quello splendore da noi imprendibile...

(*Elsa U.*)
A conserve di frutta s'industriava
con le stagioni così roteando:
esuberando trasbordava tutti
nel rimestarsi dei germi e dei frutti.

(*Signor T.G.*)
Come potente sovrano di discarica
tutta la vàlica con piagato passo
e l'occhio che un poco gli balla. Ma conquista
il torsolo intatto, la sciarpa che non strangola.

(*Signor Resnati*)
La zuppa di rape un po' somiglia a quella
lassù del campo di concentramento:
per qualche singolare convergenza
nella ciotola gli anni, trema il mento.

(*Sergente Corbetti*)
Lui con la piva della ritirata
– cose distanti di Russia –
in neve progrediva appena appena
e là restato, semenza di avena.

(*Zia D.*)
Selciato di guerra, suoi passi in ticchettìo
dove palpitava oscuramento.
E sopra la polenta e gli scaldini
le sue canzoni, invitto luccichìo.

(*Signor Guaterni*)
Ama il suo io, ma l'io più inabissato
che sapeva concepire le battaglie
senza dolore, un eroico fortino,
le troppo logorate minutaglie.

(*Norma C.*)
Girata un poco nel senso del Sole
alla prora di un banco, era la prima
di quella classe. Il suo svolato
garbo e grembiule.

(*Signora Tosini*)
Vecchiaia e freddi e linimenti
di sopra e di sotto. Di dentro più lieve
le sue anime sfratta e si raduna
come in sottile, precisa cruna.

(*Signor Terragni*)
La guerra, la trincea, l'Isonzo, il Piave:
in storie stentate s'invischiava
perdendo il filo che mai ci fu,
ma la serata fiatava più grave.

(*Zia S.*)
Penetrando per i campi e le calure
a luoghi sacri ci conduceva,
grappoli di nipoti, zia esemplare
d'un più cruciale pellegrinare.

(*Signora Moltasi*)
Dalla poltrona sventola la mano:
«Come stai bene, come sei cresciuto!
Tu sei mio figlio oppure mio nipote?».
Ma poi le basta l'uno lì venuto.

(*Signor Mongaroni*)
Con la sua testa per nuove contrade
più non distingue moglie né figlia,
i vicini di stanza, i tre nipoti,
e tutti elude, superflua famiglia.

(*Signor Relondi*)
Vuole capire questo metamorfosare,
s'intestardisce sui giornali e la politica
e beve la tivù, meditabondo,
per dileguarsi almeno gravido del mondo.

(*Signor Gariddi*)
Il corpo stenta e di poco si sposta
ma serenamente lui vorrebbe solo
terra mangiare e i suoi piccoli accidenti:
così per affiatarsi, familiarizzare.

(*Signora Farinelli*)
Con la sua schiena che sempre fatica
avvia discorso, persona gentile,
e le ripete: «Tu sei la mia
un po' bisbetica, umile amica».

(*Signor Branzi*)
Piegato da malanno, là si sforza,
solleva di poco quel grave sacchetto:
sconforme alpino su per le cime
raggiungerà la vetta, il cassonetto?

(*Signora Bascheni*)
Da un luogo di montagna ci saluta,
coltiva fiori di vita breve,
nutre conigli, parla coi cespugli:
ora è ritratta in contorno più lieve.

(*Signor Dantelli*)
Eutanasia: non conosce la parola
ma fa la cosa, chiedendo scusa;
e come puntino discreto, se dio vuole,
lui con gli innumerevoli si arruola.

(*Signora Trocchi*)
Si brucia comunque, costipati nell'inutile.
Ma contro il maligno lei prodigandosi
labile s'orienta fra qualche cataplasma:
sussurra – a parte – che ci sarà miracolo.

(*Signor Delfinari*)
Partita a scopa a lumeggiare il tempo
che retrocede a cavernoso: lui
guadagna il settebello e la primiera,
degli emblemi un'ossuta primavera.

(*Don Angelo*)
Il suo pane ed acqua
a quasi niente servito
(forse neanche in alto cielo) e il suo
corpo frustrato, disparito.

(*Signor Longhi*)
Calmo dal terrazzo scruta i supplizi
che martoriano la notte di città;
e le felicità degli scampati,
l'ingarbugliarsi dei cai e dei tizi.

(*Signor Calolzi*)
Nonno indigente che amava il canto
compostamente s'innalzava alla *Traviata*:
in oscuro cantone di teatro
lo slavato gilè, la lacrima educata.

(*Ginevra P.*)
Le manovre contate del salvarsi:
siede in poltrona ed intreccia le dita,
poi s'accomiata con l'orecchio destro
e per isola di musica è partita.

(*Signora Giardini*)
Si corica presto e spera nei sogni
(quella broda segreta che la sana),
nel prodigioso confabulare
di zucche e gatti, angeli e zanzare.

(*Signor Enrichelli*)
Ospizio degradato e dato al sonno
sotto più fruste coperte,
specchio ridotto di questa Italia.
Lui resta sveglio, sistemerà l'ortaglia.

(*Signor Tassini*)
Pedone scarso, compirà i previsti
tre movimenti dentro la scacchiera.
Ma intanto un'ultima folle cosa:
calpesta l'aiuola, divora una rosa.

(*Signora Cotinovi*)
Un po' ricurva, sopra il millennio
il viso affaccia dubitando, ma
alla sua discendenza intorno intorno
chioccia a suo modo dice buongiorno.

V

(*bambina O.*)
Cerenéntola, bobi e loplano,
tapatine, momòbile e lelese:
una parola per ogni cosa?
È lo scompiglio un diverso paese?

(*bambina M.*)
Pizzica una foglia, escogita la casa,
dondola il vuoto come una culla,
finge tramortimento e
certo si sbaglia, popola il nulla.

(*bambina D.*)
Lei – maltrattata – malmena il bambolotto,
con tutta la forza gli strappa i capelli.
Pare che questa sia la trafila:
al sacrificio sempre nuovi agnelli.

(*bambino B.A.*)
Predilige l'orsacchiotto più consunto:
di qualche colpa si lava la piaga,
è già un po' padre, si vuole più forte
o più compagno lo sente dove è morte?

(*bambina R.O.*)
In spasimato angolo
la misteriosità del suo capriccio:
chiama attenzione o preannuncia ai vivi
l'inconsolabile destinazione?

(*bambina S.T.*)
Calma nel letto, lei e la rosolìa,
albi e matite alla portata: gira
– come primario focolare –
il suo breve pianeta in autarchia.

(*bambino R.G.*)
Le tasche rigonfie di mentini per un dono
ai compagni d'asilo, scarso contrabbandiere:
gli si rimprovera il furto casalingo, ma
era solamente, era generosità.

(*bambino I.*)
Gli piace la parola «crudelissimo»,
la ripete tra sé scalciando il muro:
così in partìcola lievita la guerra
e già è ferito il suo piccolo futuro.

(*bambina L.*)
La domenica si compra il giornalino
e poi da sola traversa un continente
fatto con la terra aspettativa,
tenendo acceso quel fievole cerino.

(*bambina G.*)
Nel disperarsi la piccola farfuglia
e piange a qualche suo distratto dio
che allunghi una salvìfica moina,
ma poi riemerge fiera: «Sono Giulia!».

(*bambino A.A.*)
Fracassato il tamburo e tralasciata
l'insufficiente trombetta, con le grida
contro quel qualunque chissà chi
dichiarerà più forte la sua sfida.

(*bambina U.T.*)
Nell'asilo già severe gerarchie,
il capo, l'aiutante, l'avversario,
la ricerca, la prova, la vendetta.
E lei combatte, mulina una paletta.

(*bambina D.N.*)
I giri astuti di parole, i nebulosi
voleri dei grandi, e questa invece
sua età dei no: minuta rocca,
lei sotto assedio rimane senza bocca.

(*bambino F.M.*)
Qui fermenta tra i coriandoli e gli spruzzi
creatura che incarna il cosiddetto mondo
del pressappoco; là le adulte zone
dell'universo della precisione.

(*bambino U.*)
Dove superni si drizzano i nemici
avanti avanti, senza mai paura,
casca bocconi ma sfodera la spada:
vita finirà, ma che passi la radura.

(*bambino S.E.*)
Sopra il prato in bailamme circoscritto
naufragando si sbuccia le ginocchia
ma il tuffo sulla palla è il più felino
e l'epos pòndera l'esiguo paladino.

(*bambino T.*)
Le figurine sul tavolo a raccolta,
la prima immensa enciclopedia
che mai finisca, che
lui – da magnanimo – ne ha signoria.

(*bambino S.*)
Rifare in piccolo tutta la città
e controllare gli omini nel passeggio
come capo che ha la sovranità:
onnipotenza di paglia, finirà.

(*bambino O.P.*)
In carrozzina contenuto, varca
il marciapiede, impresa che ignora;
vede solamente le nubi, certe foglie,
innominabili ancora, solo voglie.

(*bambino R.C.*)
Tra questa bava e quel pericolante
bicchiere si staglia il suo teatrino
con lo sbrodolarsi: largo al semolino!
E ancora un sì per essere più grande.

(*bambino N.L.*)
È tutto interessato al topo morto,
ai suoi denti a sproposito ridenti: dunque
succede che sbàndino i suoi
poveri saperi domandanti.

(*bambina O.L.*)
Bene in allerta rimane, e comunque
dei genitori separati non domanda.
Pensa oramai che questa è la vita:
ha i suoi dispersi qualunque banda.

(*bambina L.U.*)
Primo giorno di scuola, la lavagna,
il quaderno pulito, un esercizio,
l'unghia contro riga, e lei
altro vivente vocato ad altro inizio.

(*bambino S.N.*)
Dunque l'evolvere alla lotta e ormai
i sacramenti dei consigli non
più ascoltando, si distacca: è l'ora
dell'appartenere a nuova frotta.

INDICE

I

II

III

IV

133